100 COMPTINES

Direction artistique : Gianni Caccia
Direction de la production : Isabel Rusin

Comptines des pages 12, 13, 28, 29, 34, 35, 40, 41,
64, 65, 74, 75, 80, 81, 90, 91, 102, 103, 110 et 111
illustrées par Christiane Beauregard

Comptines des pages 9, 20, 21, 30, 31, 36, 37, 48, 49, 52, 53,
56, 57, 60, 61, 72, 73, 78, 79, 86, 87, 98, 99, 106 et 107
illustrées par Pascale Constantin

Comptines des pages 14, 15, 24, 25, 38, 39, 44,
45, 62, 63, 76, 77, 88, 89, 94, 95, 108 et 109
illustrées par Céline Malépart

Comptines des pages 10, 11, 18, 19, 22, 23, 32, 33, 46,
47, 54, 55, 66, 67, 70, 71, 84, 85, 96, 97, 100 et 101
illustrées par Luc Melanson

Comptines des pages 16, 17, 26, 27, 42, 43, 50, 51,
58, 59, 68, 69, 82, 83, 92, 93, 104, 105, 112 et 113
illustrées par Daniel Sylvestre

Conception sonore, composition, arrangements des
musiques traditionelles et réalisation : Denis Larochelle
Musique de *Oh! Oh! Oh!* : Mario Bruneau
Voix : Denis Gagné et Sylvie Dumontier

HENRIETTE MAJOR

100 comptines

Illustrées par

Christiane Beauregard, Pascale Constantin,
Céline Malépart, Luc Melanson
et Daniel Sylvestre

FIDES

Dans la même série

Données de catalogage avant publication (Canada)

Major, Henriette, 1933-

100 comptines

Comprend des index.

ISBN 978-2-7621-2082-0

1. Comptines.

2. Poésie enfantine.

I. Titre.　II. Titre : Cent comptines.

LB1177.M32　　1999　　JC841'.54　　C99-941030-X

Dépôt légal : 3ᵉ trimestre 1999
Bibliothèque nationale du Québec

© Éditions Fides, 1999

La maison d'édition reconnait l'aide financière du Gouvernement du Canada par l'entremise du Fonds du livre du Canada pour leurs activités d'édition. La maison d'édition remercie de leur soutien financier le Conseil des Arts du Canada et la Société de développement des entreprises culturelles du Québec (SODEC). La maison d'édition bénéficie du Programme de crédit d'impôt pour l'édition de livres du Gouvernement du Québec, géré par la SODEC.

Présentation

Qu'est-ce qu'une *comptine*? C'est un petit poème bien rythmé dont la fonction habituelle est de choisir ou d'éliminer un joueur. Ce peut être aussi une courte ritournelle qui accompagne certains jeux ou qu'on fredonne juste pour le plaisir, ou pour scander une activité.

Qui, dans son enfance, n'a pas récité ou chanté une comptine? Les comptines font partie de la tradition orale ; elles sont surtout transmises dans les cours d'école. Il n'est donc pas étonnant d'en entendre diverses versions qui sont aussi valables les unes que les autres. Ces odelettes plaisantes et farfelues font les délices des enfants et sont une excellente initiation à la poésie.

En publiant ce livre accompagné d'un disque compact, nous avons voulu présenter un bon nombre de ces rimettes traditionnelles, certaines assez connues, d'autres moins, certaines originaires de France, certaines du Québec, d'autres encore de divers pays francophones. Nous proposons également quelques comptines originales signées par Henriette Major elle-même.

Ces comptines s'adressent bien sûr aux enfants, mais aussi à tous ceux et celles qui ont pour mission de s'en occuper : parents, éducateurs, grands-parents.

Dans un souci de meilleure lisibilité, nous avons omis les élisions dans le texte imprimé ; on devra donc écouter le disque compact pour donner le rythme correct. Quelques suggestions d'utilisation sont proposées à la fin du recueil. Un index par thèmes et mots-clés et un index par ordre alphabétique des premiers mots sont également inclus pour permettre aux usagers de s'y retrouver facilement.

Ce recueil et ce disque compact promettent des heures de plaisir aux petits et aux grands.

Dans l'air et dans l'eau

Petit oiseau

qui vient des mers,

dis-moi si l'eau

est bien amère.

Et moi, je m'en vais t'attraper

par tes jolies plumes frisées.

L'hirondelle qui n'a qu'une aile,

qui s'envole, vole, vole.

L'hirondelle qui n'a qu'une aile,

de mon coeur va s'envoler.

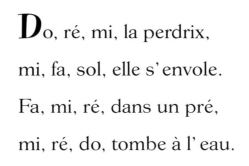

Do, ré, mi, la perdrix,

mi, fa, sol, elle s'envole.

Fa, mi, ré, dans un pré,

mi, ré, do, tombe à l'eau.

Mouille, mouille, paradis,

tout le monde est à l'abri.

Il n'y a que mon petit frère

qui est dans la gouttière,

à pêcher des petits poissons

pour sa petite collation.

Les petits poissons dans l'eau
nagent, nagent, nagent, nagent,
les petits poissons dans l'eau
nagent, nagent comme il faut.
Les petits poissons dans l'eau
nagent aussi bien que les gros.

Ah! la baleine qui tourne, qui vire
autour du petit navire.
Petit navire, prends garde à toi,
la baleine te mangera.

À la pêche aux moules, moules, moules,
je ne veux plus y aller, maman!
Les gens de la ville, ville, ville,
m'ont pris mon panier, maman!

Il y avait une anguille

qui mariait sa fille.

Il y avait un serpent

qui grinçait des dents.

Ouvre la fenêtre

pour qu'ils prennent l'air,

ouvre le carreau

pour les jeter dans l'eau.

Tic, tac, to.

Bateau,

ciseau,

la rivière, la rivière,

bateau,

ciseau,

la rivière et le canot.

Une grenouille, nouille, nouille

qui se croyait belle,

elle monte à l'échelle,

monte jusqu'en haut

et puis saute à l'eau.

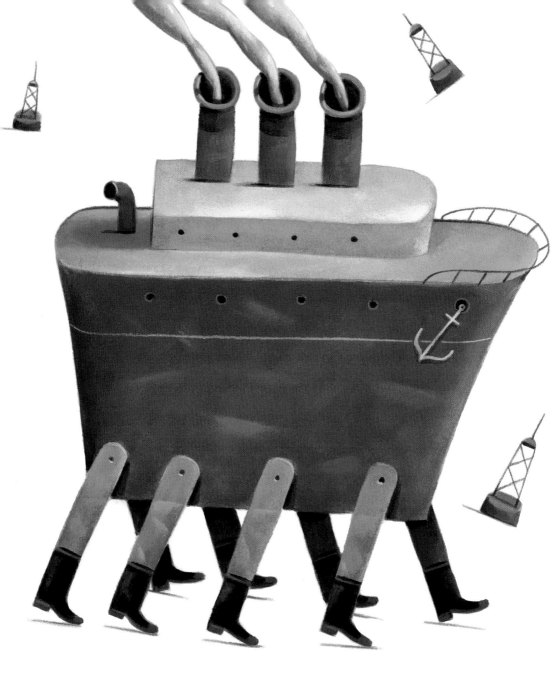

Maman, les petits bateaux

qui vont sur l'eau

ont-ils des jambes?

— Voyons, mon grand bêta,

s'ils n'en avaient pas,

ils ne marcheraient pas.

Qu'est-ce qui a deux ailes

et qui fait ron-ron?

C'est un avion.

Qu'est-ce qui n'a pas d'ailes

et qui sait voler?

C'est une fusée.

Henriette Major

Oh! Oh! Oh!

que la pluie me mouille !

Hé! Hé! Hé!

la pluie m'a mouillé !

Oh! Oh! Oh!

mais je me débrouille !

Hé! Hé! Hé!

pour me faire sécher !

Henriette Major

Les gens

Mon papa est cordonnier.

Ma maman est demoiselle.

Ma grande soeur fait de la dentelle.

— Comment tu t'appelles ?

Tire la ficelle

et monte au ciel.

Pipandor,

chapeau d'épinette,

mon petit frère fait la pirouette,

ma petite soeur fait sa toilette,

Pipandor

tu es dehors.

À la soupe, soupe, soupe,

au bouillon, ion, ion.

La soupe à l' oignon,

c' est pour les garçons.

La soupe aux lentilles,

c' est pour les filles.

La soupe aux pois,

c' est pour moi.

La soupe au riz,

c' est pour mes amis.

Moi, j'aime les chatouilles,
ouille! ouille! ouille!
Moi, j'aime les bisous,
fous, fous, fous.
Moi, j'aime mes amis,
oui, oui, oui.

Henriette Major

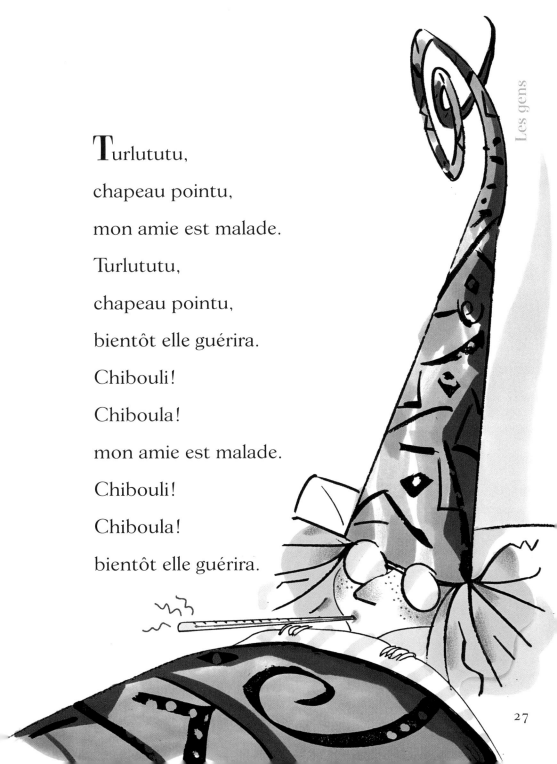

Turlututu,

chapeau pointu,

mon amie est malade.

Turlututu,

chapeau pointu,

bientôt elle guérira.

Chibouli!

Chiboula!

mon amie est malade.

Chibouli!

Chiboula!

bientôt elle guérira.

Oh! maman, j'ai mal au coeur!

C' est ma soeur

qui m'a fait peur

dans la rue des trois couleurs.

Bleu, blanc, rouge,

que personne ne bouge.

Bleu, blanc, vert,

tu n' auras pas de dessert.

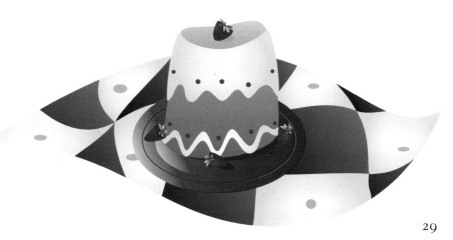

Qui se cache
dans mon miroir?
C'est moi.
Qui se cache
dans mon armoire?
C'est le chat.

Henriette Major

Les petites bêtes

Petit oiseau d'or et d'argent,

ta mère t'appelle au bout du champ

pour y manger du lait caillé

que la souris a barboté

deux heures de temps.

Vas-y, va-t'en!

Bonjour madame!

Quelle heure est-il?

— Il est midi.

Qui est-ce qui l'a dit?

— La petite souris.

Où donc est-elle?

— Dans la chapelle.

Qu'y fait-elle?

— De la dentelle.

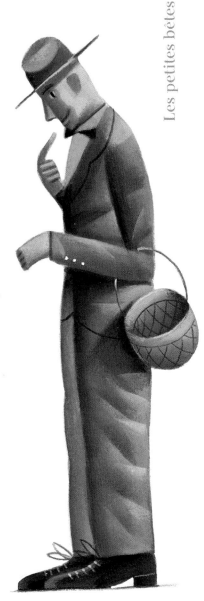

En allant chercher mon pain,

je rencontre trois lapins.

Je les mets dans mon panier,

ils me boivent tout mon lait.

Je les mets dans un placard,

ils me mangent tout mon lard.

Je les mets au coin du feu,

ils me font trois petits oeufs.

Pimpanicaille,

le roi des papillons,

en se faisant la barbe

s'est coupé le menton.

Un, deux, trois,

de bois.

Quatre, cinq, six,

de buis.

Sept, huit, neuf,

de boeuf.

Dix, onze, douze,

de bouse.

Va-t'en à Toulouse !

Sauterelle au bord du champ,

saute avec tes ailes vertes!

Sauterelle au bord du champ,

as-tu des petits enfants?

— J'en ai trois, quatre, cinq, six, sept,

ils ont tous des ailes vertes!

J'en ai sept, huit, neuf, dix, onze,

en pension chez le grillon.

Un et un, deux,

Un lapin sans queue.

Deux et deux, quatre,

Un lapin sans pattes.

En allant dans mon jardin

je rencontre un petit lapin.

Je le mets dans mon chapeau,

il me dit qu'il a trop chaud.

Je le mets dans mon gilet,

il me dit qu'il fait trop frais.

Je le mets dans ma culotte,

il me fait une petite crotte.

Le coq est mort,

le coq est mort.

Le coq est mort,

le coq est mort.

Il ne dira plus cocodi, cocoda.

Il ne dira plus cocodi, cocoda.

Cocodi-codi-codi-coda.

Cocodi-codi-codi-coda.

Un petit cochon
pendu au plafond.
Tirez-lui la queue,
il pondra des oeufs.
Tirez-lui plus fort,
il pondra de l'or.

Un escargot
dans mon chapeau.
Une coccinelle
sur une échelle.
Une araignée
dans mon panier.

Henriette Major

40

Quand trois poules s'en vont aux champs,

la première va devant.

La seconde suit la première,

la troisième va derrière.

Quand trois poules s'en vont aux champs,

la première va devant.

Une poule sur un mur

picotait du pain dur.

Picoti, picota,

lève la queue et saute en bas.

C'est la poule à ma grand-mère

qui a pondu trois oeufs par terre :

un cassé,

un donné,

un mangé.

Un, deux, trois.

Ron, ron, ron,

la queue du cochon.

Ri, ri, ri,

la queue d'une souris.

Ra, ra, ra,

la queue d'un gros rat.

Je fais pipi
sur le gazon
pour embêter
les coccinelles.
Je fais pipi
sur le gazon
pour embêter
les papillons.
Pipi, gazon,
papillons et coccinelles,
pipi, gazon,
coccinelles et papillons.

Un petit chat gris

qui faisait pipi

sur un tapis gris.

Sa maman lui dit :

« Ce n'est pas gentil

de lever la queue

devant ces messieurs. »

47

Quand le roi va-t-à la chasse

il rapporte des bécasses.

Il les cuit, il les fricasse,

il les mêle avec du pain,

il en donne à son petit chien.

Si son petit chien n'en veut pas,

il les donne à son petit chat.

Une souris verte

qui courait dans l'herbe.

Je l'attrape par la queue,

je la montre à ces messieurs.

Ces messieurs me disent :

« Trempez-la dans l'huile,

trempez-la dans l'eau,

ça fera un escargot

tout chaud. »

Au clair de la lune,

un petit lapin,

qui mangeait des prunes

comme un petit coquin.

La pipe à la bouche,

le verre à la main,

il disait : « Madame,

versez-moi du vin

jusqu'à demain. »

A-t-on rencontré

un chat pelé ?

A-t-on déjà vu

un chat barbu ?

A-t-on ramassé

un chat barbouillé ?

Si quelqu'un le voit,

il est à moi.

Henriette Major

Jamais on n'a vu, vu, vu,

jamais on ne verra, ra, ra,

la queue d'une souris, ris, ris,

dans l'oreille d'un chat, chat, chat.

Fais dodo, Pinoche,

ta mère est aux noces.

Elle va revenir bientôt

avec un petit chien

gros comme tes deux poings.

Une araignée sur le plancher
se tricotait des bottes.
Un limaçon dans un flacon
enfilait sa culotte.
J'ai vu dans le ciel, une mouche à miel
pinçant sa guitare.
Le rat tout confus sonnait l'angélus
au son de la fanfare.

J'ai vu un gros rat

qui fendait du bois.

J'ai vu une anguille

qui coiffait sa fille.

J'ai vu une vache

glisser sur la glace.

J'ai vu une grenouille

manger de la citrouille.

J'ai vu un gros boeuf

qui montait aux cieux

dans un grand panier,

un panier percé.

Quand un mille-pattes

chausse ses souliers,

croyez-moi madame,

il n'est pas pressé.

Un soulier,

deux souliers,

dix souliers,

cent souliers,

mille souliers!

Henriette Major

Les grosses bêtes

J'ai un beau cheval à faire ferrer.

Combien faudra-t-il de clous

pour ferrer mon cheval?

Un, deux, trois,

quatre, cinq, six

sept, huit, neuf,

dix!

Un loup passant par le désert,

lève la patte, la queue en l'air.

Il est tombé dedans un trou,

s'est cassé le nez, s'est cassé le cou.

J'ai un petit dinosaure.

Il s'appelle Philidor.

Je le promène dehors

au bout d'une laisse en or.

Henriette Major

Un éléphant,

sa trompe, sa trompe,

un éléphant,

sa trompe est par devant.

La peinture à l'huile,

c'est bien difficile,

mais c'est bien plus beau

que la peinture à l'eau.

Deux éléphants... (etc.)

Un nini

un nipo

un nipopo quoi?

Un nini

un nipo

un hippopotame.

Henriette Major

À cheval, à cheval,

jusqu'à Montréal.

En auto, en auto,

jusqu'à Chibougamau.

En taxi, en taxi,

jusqu'à Saint-Élie.

En avion, en avion,

jusqu'à Saint-Léon.

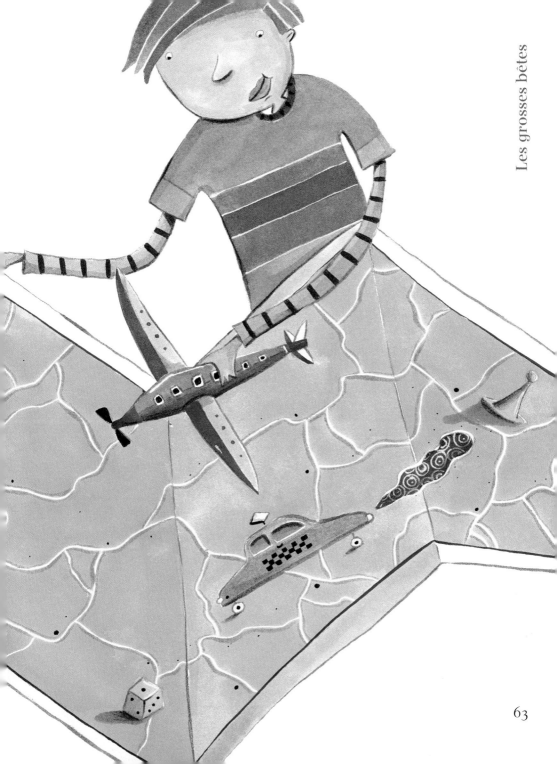

Un lézard qui sommeille,

qui se chauffe au soleil.

Est-ce un lutin

qui le retient

au bout d'un fil

comme un petit chien?

Henriette Major

65

Un beau cheval blanc
qui s'est cassé la patte,
son maître l'a pris,
l'a mis à l'écurie, couché.
Il avait faim,
lui a donné du foin.
Il avait soif,
lui a donné de l'eau
dans un petit seau.

Cent crocodiles

s'en allaient à la guerre,

disant adieu

à leurs petits enfants.

Leurs longues queues

traînaient dans la poussière.

Ils s'en allaient

combattre les éléphants.

Si les cro-co-co

les cro-co-co

les crocodiles

sur les bords du Nil

se sont perdus,

n'en parlons plus !

Rouli, roulant,

vont les bicyclettes.

Clopin, clopant,

vont les éléphants.

Voli, volant,

vont les alouettes.

Henriette Major

Vive la fête !

Un i, un l,

ma tante Michelle,

ne passez pas par mon jardin,

ne cueillez pas mon romarin.

À Pâques ou à Noël,

donnez-moi de vos nouvelles.

C'est demain dimanche,

la fête à ma tante ;

on rit et on danse,

on se remplit la panse,

on revêt ses beaux atours.

Ah! si c'était fête tous les jours!

J'ai cru voir dans le ciel

le traîneau du Père Noël!

Au fond il y avait un trou

par où tous les joujoux

tombaient, tombaient dans la rue

pour tous les enfants perdus.

Henriette Major

C'est un arbre en carton
où pendent des bonbons,
où poussent des lumières
et des boules de verre.
C'est un arbre magique
aux couleurs mirifiques.
Hélas! Son règne est court,
ne vit que quelques jours.
Vous devinez lequel?
C'est l'arbre de Noël.

C'est le soir des fantômes

le soir des loups-garous,

des sorcières et des gnomes ;

ils sortent de partout.

Mais parfois on rencontre

des êtres très gentils,

des chats et des souris,

à travers tous ces monstres.

Sortez vos déguisements,

c'est l'Halloween, les enfants !

Dans la cour, il y a un arbre.

Sur cet arbre, il y a une feuille.

Sur cette feuille, c'est écrit :

C'est Marie qui est mon amie.

Bon anniversaire!

Veux-tu jouer ?

Crème glacée,
limonade sucrée !
Dis-moi le nom
de ton bien-aimé !
A, b, c, d, e... (etc.)

Panse de son,

estomac de plomb,

fale de pigeon,

menton fourchu,

bouche d'argent,

nez cancan,

joue bouillie,

joue rôtie,

petit oeil,

gros-t-oeil,

sourcillon

sourcillette,

Toc! toc! la caboche!

Deux petits oiseaux

sont sur une branche,

l'un s'appelle Pierre,

l'autre s'appelle Paul.

Viens-t' en, Pierre !

Viens-t' en, Paul !

Va-t' en, Pierre !

Va-t' en, Paul !

Scions, scions, scions du bois,

pour la mère,

pour la mère,

Scions, scions, scions du bois

pour la mère Nicolas.

Je te tiens,

tu me tiens

par la barbichette.

Le premier

qui rira

aura une cla-

quette !

Il court, il court, le furet

le furet du bois, mesdames.

Il est passé par ici,

le furet du bois joli.

Il est passé par ici,

le furet du bois joli.

Il est passé par ici,

le furet du bois joli.

Dansons la capucine !

Il n'y a pas de pain chez nous.

Il y en a chez la voisine,

mais ce n'est pas pour nous.

You !

Un petit bonhomme
sur un cerisier.
Quelle est la couleur
de son tablier ?
— Bleu.
As-tu du bleu sur toi ?

L'autre jour, sous un marronnier,

je me suis assis pour me reposer.

Les moustiques m'ont piqué.

J'ai dû quitter mon marronnier.

— **A**llô, allô, allô, monsieur !

Venez donc dehors, monsieur !

— Non, monsieur.

— Pourquoi, monsieur ?

— Parce que j'ai le rhume, monsieur.

— Toussez donc un peu, monsieur.

— Atchoum ! Atchoum ! Atchoum !

monsieur.

J'ai perdu le do

de ma clarinette.

J'ai perdu le do

de ma clarinette.

Ah! si papa savait ça!

Tra la la!

Ah! si papa savait ça!

Tra la la!

Au pas! camarade,

au pas! camarade,

au pas! au pas! au pas!

Au pas! camarade,

au pas! camarade,

au pas! au pas! au pas!

Tra la la!

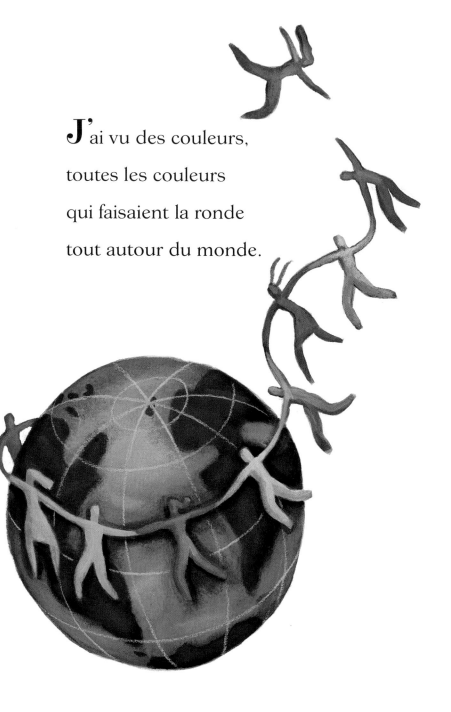

J'ai vu des couleurs,
toutes les couleurs
qui faisaient la ronde
tout autour du monde.

84

La mangeaille

Un petit bonhomme
s' en allait à Rome
en mangeant des pommes.
Il en mangea deux,
il devint tout bleu.
Il en mangea trois,
se mordit les doigts.
Il en mangea trop,
tomba sur le dos.

J'ai un beau château,

il est en gâteau.

J'ai un beau chapeau,

il est en papier.

J'ai de beaux souliers

pour aller danser.

Henriette Major

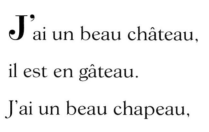

Pomme, poire, abricot,

il y en a une, il y en a une,

pomme, poire, abricot,

il y en a une de trop,

qui s'appelle

Marie-Margot.

C'est demain dimanche,

la fête à ma tante.

Elle balaie sa chambre

avec sa robe blanche.

Elle trouve une orange,

l'épluche et la mange.

Oh! la grande gourmande!

Belle pomme d' or,

fais la révérence.

Il n'y a qu'un roi

qui règne en France.

Adieu mes amis !

La guerre est finie !

Belle pomme d' or,

tu es dehors !

En avant, les grosses bedaines,
tassez-vous le long du mur.
C'est la fille du capitaine
qui a mangé les confitures.

Allons chercher des herbes
pour faire une omelette.
L'omelette est cuite ?
Tournons-la, virons-la,
l'omelette est dans le plat.

Rondin, picotin,

la Marie a fait son pain

pas plus gros que son raisin.

Son levain était pourri

et son pain tout aplati.

Tant pis !

Les oignons me font pleurer.

Les citrons me font grimacer.

Quant aux artichauts, ils piquent,

les manger, c'est pas pratique.

Les bananes, c'est trop mou,

les navets, ça n'a pas de goût.

Les petits pois, c'est trop petit.

Les kiwis, c'est pas joli.

Mais savez-vous ce que j'aime?

Les fraises avec de la crème.

Henriette Major

Pomme de reinette et pomme d'api,

petit tapis rouge.

Pomme de reinette et pomme d'api,

petit tapis gris.

J'aime mieux les bonbons
que les gigots de mouton.
J'aime mieux la cannelle
que les vermicelles.
J'aime mieux les gâteaux
que la soupe aux poireaux.
J'ai des confitures
sur toute la figure,
et du chocolat
du haut jusqu' en bas.

Chez mademoiselle Caramel,

la maison

est en bonbon,

le lit est en biscuit,

le sofa

en chocolat.

Mademoiselle Caramel,

il fait bon

chez toi.

Henriette Major

Un, je fais du pain.

Deux, je fais du feu.

Trois, je cueille des pois.

Quatre, je mange des patates.

Cinq, je mange de la dinde.

Six, je mange des saucisses.

Sept, je fais des galettes.

Huit, je vais en visite.

Neuf, je fais cuire un oeuf.

Dix, je te fais une bise.

97

Pour mon goûter, j'ai mangé :

une crème glacée,

deux tartelettes

et trois galettes,

quatre abricots

et cinq gâteaux,

six pommes mûres,

sept bonbons durs,

huit raisins secs,

neuf noix avec

dix petits pains.

Après, je n'avais plus faim.

Henriette Major

Drôles de personnages

Frédéric, tic, tic,

dans sa petite boutique,

marchand d'allumettes

dans sa petite brouette.

S'en va-t-à la ville

comme un imbécile,

les mains dans les poches

comme un Espagnol,

sa blouse à l'envers

comme un malhonnête.

Une jeune fille

de quatre-vingt-dix ans

en mangeant de la crème,

en mangeant de la crème,

une jeune fille

de quatre-vingt-dix ans

en mangeant de la crème

s'est cassé une dent.

— Ah! lui dit sa maman,

en mangeant de la crème,

en mangeant de la crème,

Ah! lui dit sa maman,

en mangeant de la crème

ce n'est pas étonnant.

C'est le père Mirot
avec ses sabots.
C' est la mère Mirette
avec ses lunettes,
qui prend sa brouette,
va-t-au bord de l' eau
ramasser des escargots
pour les mettre dans un pot.

Dans la rue des quatre chiffons,

la maison est en carton,

l'escalier est en papier,

le propriétaire est en pomme de terre.

Le facteur y est monté,

il s'y est cassé le nez!

La mère Angot

est en colère :

elle a mangé

trop de pommes de terre,

et son mari

trop de haricots.

Vive la mère Angot !

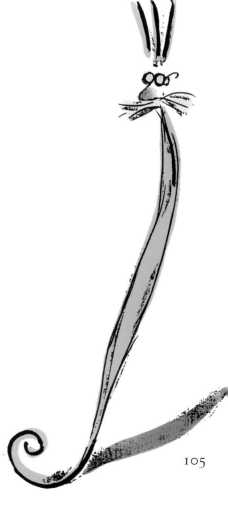

Arlequin dans sa boutique
sur les marches du palais ;
il enseigne la musique
à tous ses petits valets.
À monsieur Po,
à monsieur Li
à monsieur Chi,
à monsieur Nelle,
à monsieur Polichinelle.

Le cow-boy Arthur
galope sur sa monture,
puis il disparaît
dans les fourrés épais.
Sa jument Tibie
dormait dans l'écurie
pendant qu'il mangeait
des pistaches salées.

Bonjour, madame Lundi !

Comment va madame Mardi ?

— Très bien, madame Mercredi.

Dites à madame Jeudi

de venir vendredi

danser samedi

dans la salle de dimanche.

Marie-Madeleine
va-t-à la fontaine,
se lave les mains,
se les essuie bien.
Monte à sa chambre,
joue à la balle.
Un peu trop haut,
casse un carreau.
Un peu trop bas,
attrape son chat.
Sa mère lui dit :
« Comme pénitence,
tu me feras
trois tours de danse. »

Si j'étais le roi,

j'aurais un palais,

un palais doré.

Si j'étais le roi

j'aurais des coffrets

remplis de monnaie

que je donnerais

à tous mes sujets.

En voici un,

en voici deux,

en voici trois.

Henriette Major

Jean qui pleure

et Jean qui rit,

c'est le beau temps

et la pluie.

L'un toujours nous réjouit,

rien qu'à voir l'autre, on s'ennuie.

Oh! Oh! Oh!

Hi! Hi! Hi!

Qu'il est laid, Jean, quand il pleure!

Oh! Oh! Oh!

Hi! Hi! Hi!

Qu'il est beau, Jean, quand il rit!

Polichinelle
monte à l'échelle.
Un peu plus haut,
se casse le dos.
Un peu plus bas,
se casse le bras.
Casse un carreau
et tombe à l'eau!

Saint Nicolas,

patron des écoliers,

apportez-moi du sucre

plein mon petit panier.

J'irai à l'école,

j'apprendrai mes leçons,

et je serai bien sage

comme un petit mouton.

Des gestes transmis
par des générations d'enfants

À certaines comptines sont associés des gestes ou des jeux que les enfants prennent plaisir à exécuter. Voici les plus connus d'entre eux.

Page 75   Crème glacée

Comptine pour sauter à la corde. À mesure qu'on récite l'alphabet, chaque joueur doit *entrer* quand on prononce la lettre correspondant à l'initiale de son prénom. Évidemment, les joueurs ne doivent pas être trop nombreux... Ceux qui ratent leur entrée sont éliminés.

PAGE 76   Panse de son

Comptine pour amuser les tout-petits. À chaque ligne, on touche successivement la partie du corps ou du visage mentionnée (ventre, poitrine, cou, menton, bouche, nez, joues, yeux, sourcils). On termine par deux petites tapes sur la tête.

Page 77   Deux petits oiseaux

Comptine pour mystifier les tout-petits. On colle un bout de papier sur chacun de ses index et on replie les autres doigts. On dit à l'enfant que les papiers représentent les deux oiseaux mentionnés dans la comptine, et qu'on va les faire disparaître et réapparaître. On scande alors la comptine en frappant alternativement ses index sur le bord d'une table (en commençant par l'index de la main droite). À la ligne « Va-t'en, Pierre! », on lance sa main droite par-dessus son épaule et on en profite pour replier l'index et déplier le majeur qu'on vient poser sur le bord de la table. Même jeu avec la main gauche pour faire disparaître « Paul ». À la ligne « Viens-t'en », on fait les mêmes gestes en ramenant alternativement les index décorés de leur bout de papier. Quand les enfants sont assez grands pour comprendre l'astuce, on leur suggère de jouer ce tour à des plus petits.

Page 78   Scions, scions, scions du bois

Ce jeu exige deux joueurs. Ils se font face et se tiennent par les mains. Au rythme de la comptine, ils tournent le torse alternativement à gauche et à droite en laissant leurs bras suivre le mouvement.

Page 78   Je te tiens

Ce jeu exige deux joueurs. Chacun tient l'autre par le menton. Une fois la comptine terminée, le premier qui rit reçoit de l'autre une petite tape. (On a le droit de faire des grimaces pour faire rire son adversaire.)

Page 79   Il court, il court, le furet

Ce jeu exige deux accessoires : un petit anneau et une longue ficelle sur laquelle on enfile l'anneau avant d'en réunir les deux bouts par un noeud. Les joueurs se placent en rond, tout près les uns des autres. Un joueur est désigné pour être au centre. Ceux du cercle referment mollement leurs mains sur la ficelle. L'un d'eux fait savoir qu'il a l'anneau en main.
Au rythme de la comptine, les joueurs font bouger leurs mains en les rapprochant et en les éloignant. L'anneau circule de main en main à la faveur de ces mouvements. L'anneau doit rester caché et les joueurs, impassibles. À la fin de la comptine, celui qui est au centre doit deviner où est rendu l'anneau. S'il devine juste, lui et le possesseur de l'anneau changent de place. S'il se trompe, il doit rester au centre du cercle.

Page 79   Dansons la capucine !

Comptine pour accompagner une ronde. À « You ! », tous les participants sautent en l'air.

Page 80   Un petit bonhomme sur un cerisier

Avant le jeu, on inscrit sur des bouts de papier autant de couleurs qu'il y a de joueurs. Ensuite, on désigne un joueur qui se place au centre du cercle. Après « Quelle est la couleur de son tablier ? », on tire un bout de papier au hasard. Si le joueur qui est au centre ne porte rien sur lui de la couleur choisie, il est éliminé et remplacé. Le jeu continue tant qu'il reste des couleurs et des joueurs.

Page 81   L'autre jour, sous un marronnier

Première ligne : on élève les bras au-dessus de la tête en dessinant un cercle.
Deuxième ligne : on fait le geste de s'asseoir.
Troisième ligne : des deux mains, bouts des doigts réunis, on se touche le visage plusieurs fois.
Quatrième ligne : on tourne sur soi-même.

Comptine pour jouer à la balle. Le joueur fait bondir la balle par terre au rythme de la comptine. À chaque fois qu'il prononce le mot monsieur, il doit passer la jambe par-dessus la balle.

Quatre premières lignes : on fait la ronde en se tenant par la main.
Cinquième ligne : sur «Ah!», on saute sur place, puis on bouge la tête de gauche à droite. À «tra la la», on frappe dans ses mains.
Septième ligne : mêmes consignes qu'à la cinquième ligne. À partir de «Au pas, camarade», on fait la ronde les uns derrière les autres en balançant les bras.

Les joueurs font la ronde. À la fin de la comptine, chacun doit nommer une couleur.

De l'art de jouer de la comptine

Afin de permettre aux enfants d'apprendre tout en ayant du plaisir, nous suggérons différentes façons d'exploiter une comptine.

- Bien sûr, apprendre par coeur les comptines de son choix et s'en servir à l'occasion pour désigner ou éliminer un joueur.

- Écouter le disque compact pour être en mesure de réciter les comptines selon le rythme approprié, ou pour apprendre les airs de celles qui peuvent être chantées (on peut d'abord laisser lire les enfants selon leurs propres rythmes et intonations, puis faire la comparaison avec ceux du disque compact).

- Mimer certaines comptines.

- Les illustrer.

- Trouver des variantes aux comptines de ce livre. En citer d'autres qui ne s'y trouvent pas. Les regrouper dans un recueil.

- Recueillir des comptines dans d'autres langues.

- Utiliser certaines comptines, dites ou chantées, pour scander la marche. Exemple : *Cent crocodiles* (p. 67)

- En écoutant le disque compact, marquer le rythme avec les mains ou les pieds.

- Réciter les comptines ou les chanter plus vite ou plus lentement que sur le disque compact.

- Faire écouter une ou plusieurs comptines enregistrées sur le disque compact ; les chercher dans le livre.

- Faire écouter aux enfants quelques comptines. Les faire voter pour la plus comique, la plus folle, la plus jolie...

- Trouver dans le recueil des mots qu'on ne connaît pas. En chercher la signification.

- Parodier une comptine. Exemple : *Mon papa est cordonnier* (p. 23). Et si mon papa était musicien ? Et si ma maman était policière ? (Il faudra trouver des rimettes appropriées.)

- Se mettre à plusieurs pour composer ou modifier une comptine.

- Inventer une histoire à partir d'une comptine (ou d'un extrait). Exemple : *Dans la rue des quatre chiffons* (p. 103), qu'est-il arrivé au facteur par la suite ?

- Inventer une comptine où se trouvera son propre prénom ou celui de quelqu'un de son entourage. Dans ce dernier cas, l'offrir en cadeau.

- Créer une banque de mots comiques (par leur sens ou leur consonnance). En tirer au hasard pour créer des comptines.

Index

par thèmes et mots-clés

*Dans cet index, les mots-clés sont en
romain et les thèmes, en italique.*

Index
par ordre alphabétique des premiers mots

Table des matières

Les petites bêtes

Les grosses bêtes

Drôles de personnages

Cet ouvrage a été achevé d'imprimer en janvier 2011
sur les presses de l'imprimerie Transcontinental (Canada).